LE PARTAGE DE L'USURE

DU MÊME AUTEUR

Beat(s), poésie, Montréal, Les Éditions Portatives, 1984 (épuisé).

Mémoires d'un tueur de temps, poésie, Trois-Rivières, Écrits des Forges, 1992.

Tatouages pour toi, poésie, Trois-Rivières, Écrits des Forges, 1993.

De par les rues bohémien, poésie, Trois-Rivières, Écrits des Forges, 1995.

J'ai laissé au Diable tes yeux en pourboire, poésie, Montréal, Les Intouchables, coll. «Poètes de brousse», 1998 (épuisé).

Mourir m'arrive, poésie, Montréal, l'Hexagone, coll. «L'appel des mots», 2004.

Les abattoirs de la grâce, Montréal, l'Hexagone, coll. «L'appel des mots», 2006.

COLLECTION L'APPEL DES MOTS
CRÉÉE PAR ROBBERT FORTIN

L'auteur remercie le Conseil des Arts du Canada pour son appui financier.

L'Hexagone bénéficie du soutien de la Société de développement des entreprises culturelles du Québec (SODEC) pour son programme d'édition.

Gouvernement du Québec – Programme de crédit d'impôt pour l'édition de livres – Gestion SODEC.

Nous reconnaissons l'aide financière du gouvernement du Canada par l'entremise du Programme d'aide au développement de l'industrie de l'édition (PADIÉ) pour nos activités d'édition.

Nous remercions le Conseil des Arts du Canada de l'aide accordée à notre programme de publication.

FERNAND DUREPOS

le partage de l'usure

l'HEXAGONE
Une compagnie de Quebecor Media

Éditions de l'Hexagone
Groupe Ville-Marie Littérature inc.
Une compagnie de Quebecor Media
1010, rue de La Gauchetière Est
Montréal (Québec) H2L 2N5
Tél.: 514 523-1182
Téléc.: 514 282-7530
Courriel: vml@sogides.com

Maquette de la couverture: Anne Bérubé
En couverture: © Geneviève Milette, *Tăng Tàng*,
acrylique sur toile, 25 po x 30 po, 2007

Catalogage avant publication de Bibliothèque et Archives nationales
du Québec et Bibliothèque et Archives Canada
Durepos, Fernand, 1962-
Le partage de l'usure
(Collection L'appel des mots)
Poèmes.
ISBN 978-2-89006-814-8
I. Titre. II. Collection.
PS8557.U739P37 2008   C841'.54   C2008-941119-6
PS9557.U739P37 2008

DISTRIBUTEURS EXCLUSIFS:

• Pour le Québec, le Canada et les États-Unis:
LES MESSAGERIES ADP*
2315, rue de la Province, Longueuil (Québec) J4G 1G4
Tél.: 450 640-1237
Téléc.: 450 674-6237
* filiale du Groupe Sogides inc.,
filiale du Groupe Livre Quebecor Media inc.

• Pour la Belgique et la France:
Librairie du Québec / DNM
30, rue Gay-Lussac, 75005 Paris
Tél.: 01 43 54 49 02
Téléc.: 01 43 54 39 15
Courriel: direction@librairieduquebec.fr
Site Internet: www.librairieduquebec.fr

• Pour la Suisse:
TRANSAT SA
C.P. 3625, 1211 Genève 3
Tél.: 022 342 77 40
Téléc.: 022 343 46 46
Courriel: transat-diff@slatkine.com

Dépôt légal: 4ᵉ trimestre 2008
Bibliothèque et Archives nationales du Québec, 2008
Bibliothèque et Archives Canada

Aux petits miracles que cache
parfois chercher trop loin

À ceux et celles
revenus du bout d'eux-mêmes
nous le prouver

Tu sais nous ne partirons plus
nous avons appris à attendre
ce qui n'arrivera jamais

Jean-Michel Maulpoix

Détourner sauvagerie

les instincts

le creux de l'amour crie
viens chez moi
BERNARD NOËL

QUE RETROUVER DEMEURE
ME SOIT ENTRER POUR DE BON
SOBRE EN TOI

que le bonheur
me recrève les yeux

qu'il te ramène à moi
ciselée tessons d'étoiles
aux rebords des morceaux de verre
qui m'éclatent dans la tête

que l'un d'eux
me cloue à la mémoire
le plus profond en ton ventre
pour dernière adresse connue
afin que j'y reste

qu'à part toi
personne ne sache
où j'aurai décidé vivre
le plus clair de mon sang

SURVIVRE À LA SOUILLURE
ESPÉRANT TOUT RÉAPPRENDRE
DE L'ÉCLAT À MON PROPRE PELAGE

bête errante
j'imaginais l'effet
qu'aurait de nouveau sur moi
un peu de savon chaud
dans tes mains

surtout
rêvais de croire mon nom
apte à regagner refuge en ta bouche
malgré tout ce qu'on avait dû te raconter
à propos des chiens

MÊME EN ÉTAT DE PLUIE PASSAGÈRE
C'EST BIEN MALGRÉ LUI QU'UN VISAGE
EN ARRIVE À TRAHIR LA CALLIGRAPHIE DE SA JOIE

elle le sait

les joues virées à l'orage
elle en déplace quelques larmes
en atténue les spirales de sel
et ferme fenêtre à sa beauté

histoire de tourner page
au livre d'eau qui la contrarie

de se rappeler
que ses pleurs y sont inscrits imparfaits
et ne dureront que le temps
d'un leurre mal orthographié

FAIS-MOI TE RESIFFLER
M'ENGAGEANT SUR LES RAILS DE TES OS
TOUT TON LONG POUR EXTRÉMITÉ DU MONDE

rouvre-moi chemin
en direction de ce que je savais le mieux
me nier

ce calme
tant manqué
de ne plus me chercher d'histoires
réinstallé permanent
plein centre de toi

ALORS J'AI FRAPPÉ

milieu de ton cœur

sachant de suite
qu'il était grand temps
d'ouvrir portée au maximum
et de lever encore plus fort
toute nouvelle joie
sur toi

PUISQUE DÉSIRER
EST SAVOIR CONSTRUIRE·
SANS LAISSER DE MARQUES SUR QUICONQUE

m'aide
à passer tempête

fait chaque pierre
que je portais si lourde
s'incliner devant ce qu'elle sent de jardin
impatient de repousser en elle

ASSIGNÉS AU GUET
SUR LE PORCHE DE NOTRE CABANE D'IRIS
NE RIEN LAISSER S'APPROCHER
D'AMBIGU

faire feu

au premier doute venu

d'envie
et à bout portant
n'entrer en l'autre
qu'en toute transparence
nos souvenirs débarrassés
de cadavres

tout maintenu clair

entre nous

CE PHARE QUE J'AI
À LA PLACE DU CŒUR

toi
qui rends facile
savoir où j'en suis
quand dedans tu t'y allumes
mirador

DE TOUT L'ANONYMAT
DONT TU N'AS EU DE CESSE
DE MONTER LA GARDE

me reconnaître

me dire bonjour
m'arrêtant maladroit
brusque sur mon passage

m'étendre à mes côtés
fou que tressaillent délestés d'âge
mes membres usés d'avoir été portés
jusqu'à la corde

clore paupières
en une nuit à mille lieues des ouï-dire
auxquels tu me soustrais

t'y prendre par l'âme

autant de fois que j'aurai
à te refaire merci

ENVIE QUE DISPARAÎTRE
LA LAISSE NOUS VOYAGER SEULE

les épaules recouvertes
du châle de tout l'espace qui me la ravit
m'ajuster au faste qui l'emplit

me la rappeler de loin
à même la durée dont elle vacille
encore

TOUTE ECCHYMOSE CACHE EN ELLE
DES MILLIERS DE FRISSONS À S'ÊTRE
DÉSESPÉRÉMENT CHERCHÉS

de cette douceur
qui lui revient aux doigts
elle m'en retrace la moindre
histoire d'amour

comme pour s'excuser
de ce que ses ongles sous ma peau
n'ont pu retenir
d'arcs-en-ciel

AVOIR SU ENCODER JE T'AIME

ces trop rares choses
que nous n'avions pu nous dire

les avoir gardées intactes

comme nous indéchiffrables
derrière nos lèvres scellées

Assouvis d'absence au monde

seuls

néanmoins heureux

déjeunant de vide
nul appétit pour rien

le silence faufilé comme soie
autour de nous

DÉTOURNER SAUVAGERIE

du bout des doigts
veiller sur elle

à même ses rêves
sarcler terre d'asile
pareille à celle qu'elle me laisse
au corps

jouant d'une main
dans ses cheveux légers de paix
la regarder dormir
hors d'atteinte

heureuse

momentanément morte *méthaphore pr sommeil*
d'une caresse de futur
à la tête

Quand au matin tu m'attends
une tasse de ciel dans les yeux

Et je t'embrasse à travers tout.
MADELEINE RIFFAUD

ME LAISSER PÉNÉTRER
PAR CE TEMPS VENU D'ELLE
DÉPLOYÉE NUE VERTICALE AU-DESSUS DE MOI

perpétuer vingtaine
enroulé de nuit neuve
sous le pont couvert de sa peau

à bout de bras
la porter éclipse totale de jeunesse
comme clin d'œil à ma bonne étoile

PERDRE CONTRÔLE
DES LOCOMOTIVES QUE NOUS AVIONS
JADIS POUR LÈVRES

en ressentir tout l'impact
bouches tordues sous tant de pulpe
tournée ferraille

et recommencer
rivés à la promesse
de ne jamais vouloir
en quitter les amas

NOUS FLAIRER DE NOUVEAU AU SOUS-BOIS
DE NOS BASSINS REFAITS PAISIBLES

nous y abandonner
animaux de force égale

nous respirer
sans fin l'un l'autre

mouillés semblables
nous rebramer

exacts

À QUOI TU PENSES
QUAND TU ME VEUX
À T'EN OUVRIR THORAX ?

m'imagines-tu
résonner à cœur fendre
d'un bout à l'autre de ce clocher
de côtes qui t'enveloppent ?

QUAND JE TE PERCE D'ÉCLATS DE QUARTZ

ce long collier enfilé d'aurores
qui une à une me réfléchissent
ne peut être que la nuit que tu tiens en otage
à la pointe des diamants dans mes yeux

MOINS D'UNE MINUTE PASSÉE
DANS LA TÊTE D'UNE GOUTTE DE SUEUR
ME SUFFIT POUR SAVOIR OÙ MÈNENT TES JAMBES
CROISÉES AUTOUR DES MIENNES

juste là
où à un pistil près de jouir
nous prenons tige en l'autre
jusqu'à ce que nous sortent d'étreinte
larmes d'ivresse poussées en fleurs
au creux de nos poings

COMME SI
DEVENUE ARME BLANCHE
ELLE MENAÇAIT DE FONDRE EN SA PAUME
POUR SE DÉSAGRÉGER

soudain
se retourne
ouverte maximale
explose de corolle en corolle
multipliée par son propre parfum
immense bouquet labial
qu'elle me porte en bouche
fière de léguer délicate
pouvoir à tout ce qui
ne se fane pas

VOIS LE TEMPS
ME REPRENDRE DES MAINS
LE RESTE DE JOUR QU'IL M'ENVIE

vois-le aller
sans remords
directement le pendre
aux cordes d'un sang déjà veiné solide
en ce que tes seins contre mes paumes
m'offrent de plus dur

vois à quel point
on croit à tort la lumière
incapable de se balancer

Hors parole

plutôt chanceler

n'ayant
pour nous appeler
que prochaine annonce
de doux coma

PORTRAIT DE L'AMOUREUX
SUR LE POINT DE SE ROMPRE APRÈS AVOIR TOUT BÊCHÉ
DU PARADIS OÙ IL SE TROUVE

quelques poils de ton pubis
tressés en chapelet à mes jointures

ton odeur pour unique prière

qu'un souhait

mûrir en fruits
arbre fragile
à peine sorti de toi

ATTENDRE QUE NEIGENT
QUELQUES FLOCONS DE PEAU FRAÎCHE
AUX BRANCHES DE SUIE SOUS LESQUELLES
S'ACHARNENT À CRÉPITER NOS OS

ceux qui ont pour rituel
de se donner l'un l'autre à perdre vertèbres le savent :
tout de l'ivoire qu'ils sacrifient finit à son tour
par vouloir flamber

REPOSÉ DE CHAOS

assoupi

tes mains en brise de brunante
balayant frais menaces tourmentes
et autres paniques aux rides de mon front

d'un surcroît d'air
me réapproprier l'enfant libre que j'étais
surpris pour deux de ne m'être jamais douté
qu'autant d'étendue puisse venter

si souple

en moi

QUAND AU MATIN TU M'ATTENDS
UNE TASSE DE CIEL DANS LES YEUX

te boire

pour moi seul
au milieu de tout
ce qui t'entoure

te siroter
à même le silence
de la beauté des choses
venue reprendre parole

à ta juste mesure

sur terre

Redescendre d'amour
comme on apprivoise incendie

Lorsqu'on a vu la clarté en extase,
il n'y a plus d'espoir de vivre
comme autrefois

FRANÇOIS JACQMIN

LE PARTAGE DE L'USURE

ne plus rattacher sens
à ce que nous devenons
de temps compté

(urgence)

plutôt vivre urgents
en ce qui se passe de mots

RENOUVEAU redéfinis possible
à nouveau possible
au-delà de ce que survivre
erte à tout ce qui nous gruge
contrôle suppose innommable
d'emblée

inversion
enlève du sens

NE NOUS AIMER
QU'EN MARGE DE VOUS

ne jamais nous repentir
de quoi que ce soit

pas même d'avoir tué
toute habitude entre nous
notre seul alibi ne pouvant être
que le merveilleux

R. judi

PRENDRE QUELQU'UN POUR VRAI

avoir l'humilité
d'accepter que la surdité nous frappe

reconnaître en nous
quelque chose de total
vouloir recouvrer
voix profonde

COMMENT TE RACONTER
SINON PAR HÂTE DE TOI QUI ME REVIENT
CE QU'AURONT DÛ ENDURER LES OURAGANS
VENUS T'ATTENDRE RÉSIGNÉS
EN MES REINS ?

te soulever
de ce que tu comptes
encore de sol

t'amener là
où se confondent
venir et vertige

t'y laisser
plus grande que nature
accrochée aux fondations
de cette maison de moi
qui t'emporte

REPRENDRE TRAVERSÉES
DE CHEVAUX DE LAVE QUE MONTE
LA FIÈVRE EN NOS LÈVRES

hennir
à poumons rompus
ce que l'on porte d'indomptable
l'autre ravivé volcan
à l'emporte-pièce
dans la gorge

NULLE PART
À BRAS-LE-CORPS
OÙ RECONNAÎTRE RÉEL

jumeaux de démesure
ne plus distinguer ce qu'il nous restait d'envisageable
enfoui précieux sous les grains flous
du désir qui nous dépasse

REVENIR
ENCORE ET ENCORE
À CETTE SEULE ET MÊME CHOSE
CARDIAQUE ET FOLLE

enduits écarlates

rouler derviches
le sang sous nos peaux
gorgé d'interminables étourdissements

pulser hors de nous
la béatitude qui nous joint

UN FILET DE SALIVE
ME RETENANT À TOI

perdre pied
de ce que tu déroules
d'infini à ma langue

me signer
aveugle de foi

paupières rabattues
te fixer

nébuleuse

droit dans les cieux

LA DÉLICATESSE DE NE PAS DEMANDER
À L'AUTRE TOUT JUSTE HAPPÉ D'EXTASE
DE REVENIR SUR SES PAS

lui permettre
encore plus haut

le laisser
temporaire
s'effacer de nous
entêté à trop-plein d'altitude
qui lui tuméfie les yeux

ELLE A LE DON DE FAIRE SURGIR
N'IMPORTE OÙ DANS MON REGARD
LES ÉCLAIRS QUI L'ALLUMENT

et moi celui
de me contenir par miracle
entre ses mains d'où s'agite en tous sens
le droit de foudre qu'elle a sur moi

UN PAYS DE NOUS DEUX
NOUS PREND PAR LA TAILLE

l'autre hissé en soi
prêt à retraverser tout ce que nous avions bravé
de bourrasques

nous revoilà
quelque part entre ciel et terre
à nous fendre aux grands vents
dans ce que s'appartenir nous réclamait
si violemment

Nous ravir débâcle

n'en plus pouvoir

ne plus s'attendre pour jouir

trop entamés de dérive
nous accidenter d'ouvert

à la seconde près

SANS SE PLAINDRE

couvert de l'autre
par qui tout nous chavire

le porter

tout simplement sur soi

tel qu'il est

bleus d'amour
refusant de disparaître
étoilés sur nos hanches
qui tanguent

SI SE VOULOIR TOTALEMENT
EST UNE BRÛLURE QUI TARDE
À SE CICATRISER

notre existence durant
nous n'aurons guère cherché
moyen d'en guérir

on nous aura crus meurtris à vie

nous n'aurons été que trompeurs

marqués de force
au méthylène à serpenter des traces d'électricité
dont nous étions conductibles

NOUS ÉRIGERONS NOUS-MÊMES
LE BÛCHER D'INTRANSIGEANCE
SUR LEQUEL NOUS NOUS OFFRIRONS
SOUVERAINS

de l'excès ·
nous n'aurons connu
que la vitesse de vivre

à en cramer droit devant

libres debout

**REDESCENDRE D'AMOUR
COMME ON APPRIVOISE INCENDIE**

cendre

en cuillers
plus que brandons pour corps
comment ne pas vouloir
bercer beauté lente
de tout ce qui braise
encore en nous?

Table

Cet ouvrage composé en New Baskerville corps 11 a été achevé d'imprimer au Québec
le deux octobre deux mille huit sur papier Quebecor Enviro 100 % recyclé sur les
presses de Quebecor World à Saint-Romuald pour le compte des Éditions de l'Hexagone.